Snapshots of the Universe
Instantáneas del Universo

To all those stars that guided our way,
May we one day shine as bright as they.

Artwork: Laura Jackson
Text: Joleen Carlberg
Spanish Translation: Laura Jackson, Guillermo Damke, and Loretao Barcos Muñoz
Digital Artwork: Rachael Beaton
Layout: Andre Wong, Laura Jackson, Rachael Beaton, and Gregory Sivakoff
DSBK Program Director: Kelsey Johnson
With contributions from: Ian Czekala, Janice Dean, Geneviève de Messières,
Meredith Drosback, Nicole Gugliucci, Oscar Hernandez, Ryan Lynch, Melinda Sathre,
Lisa May Walker, David Whelan, Gail Zasowski, and the Dark Skies, Bright Kids Team

Support for this project provided by the National Science Foundation,
the Graduate School of Arts & Sciences at the University of Virginia,
and special donations through the Department of Astronomy at the University of Virginia.

Free PDF copies of this book can be obtained at
http://faculty.virginia.edu/DSBK/

A todas esas estrellas que guiaron nuestro camino,
ojalá algún día brillemos tanto como ellas.

Ilustración: Laura Jackson
Texto: Joleen Carlberg
Traducción al español: Laura Jackson, Guillermo Damke, y Loreto Barcos Muñoz
Ilustración Digital: Rachael Beaton
Diseño gráfico: Andre Wong, Laura Jackson, Rachael Beaton, and Gregory Sivakoff
Directora de DSBK: Kelsey Johnson
Con la colaboración de: Ian Czekala, Janice Dean, Geneviève de Messières,
Meredith Drosback, Nicole Gugliucci, Oscar Hernandez, Ryan Lynch, Melinda Sathre,
Lisa May Walker, David Whelan, Gail Zasowski, y el equipo Dark Skies, Bright Kids

El apoyo a este proyecto fue proporcionado por la National Science Foundation,
la Escuela de Postgrado de Artes y Ciencias de la Universidad de Virginia,
y las donaciones especiales a través del Departamento de Astronomía de la Universidad de Virginia.

Copias gratuitas (PDF) de este libro se pueden obtener en
http://faculty.virginia.edu/DSBK/

The view of Earth from space is awe-inspiring! Countries, cultures, and beliefs become indistinguishable. We are all on this "pale blue dot" together, trying to figure out our place in the Universe. The Universe is big (really, really big) and full of mysteries. In fact, astronomers have more questions than answers. The search for these answers is a shared mission that is at once humbling, intriguing, and fascinating. We hope that, as you enjoy this book, you are inspired. Be curious. Ask questions. Help us all find answers.

Dark Skies, Bright Kids was started in 2009 in Central Virginia to bring the excitement of astronomy to rural elementary schools and to nurture a love for science. We hope to foster wonder and amazement for the Universe through hands-on activities in our own backyard.

- Kelsey Johnson, **DSBK Director**

¡La vista de la Tierra desde el espacio es impresionante! Los países, las culturas, y las creencias se vuelven indistinguibles. Estamos todos juntos en este "punto azul pálido," intentando entender nuestra situación en el Universo. El Universo es grande (muy, muy grande) y está lleno de misterios. De hecho, los astrónomos tienen más preguntas que respuestas. La búsqueda de estas respuestas es una misión compartida que nos hace sentir humildes y es a la vez intrigante y fascinante. Esperamos que cuando leas este libro te sientas inspirado. Sé curioso. Pregunta. Ayúdanos a encontrar las respuestas.

Dark Skies, Bright Kids empezó en 2009 en Virginia Central para brindar el entusiasmo de la astronomía a las escuelas primarias rurales y para cultivar el amor por la ciencia. Esperamos fomentar el asombro por el Universo con ejercicios prácticos en nuestro propio patio trasero.

- Kelsey Johnson, **Directora de DSBK**

Astronaut   El/La Astronauta

As·tro·naut

My job is out of this world! I ride in rockets to outer space, help build space stations, and have even explored the Moon! I dedicate my life to learning how humans can live and work away from our home planet, Earth. If you want to follow in my footsteps, you must work hard. Learn all you can about science, math, and engineering.

El/La As·tro·nau·ta

¡Mi trabajo queda fuera de este mundo! Viajo en cohetes al espacio exterior y ayudo a construir estaciones espaciales. ¡Incluso he explorado la Luna! Dedico mi vida a aprender cómo los humanos podrían vivir y trabajar fuera de nuestro planeta, la Tierra. Si quieres seguir mis pasos tienes que trabajar muy duro. Deberás aprender todo lo que puedas sobre ciencia, matemática e ingeniería.

Rock·et

Space is my destination! Mother Earth's gravity is a strong pull that holds things down firmly. Astronauts and satellites need to get away. First, I blast off with a fiery tail. Then I push, push, push my cargo away from Earth. I need to reach very fast speeds to escape Earth's pull entirely. I have taken people to the Moon and have sent robotic explorers all across the Solar System.

El Co·he·te

¡El espacio es mi destino! La Madre Tierra atrae fuertemente las cosas hacia ella gracias a la fuerza de gravedad. Los astronautas y los satélites necesitan escapar de esta fuerza. Primero despego mostrando una cola ardiente. Luego empujo y empujo y empujo, para llevar mi cargamento lejos de la Tierra. Necesito alcanzar velocidades muy grandes para escapar completamente de la gravedad de nuestro planeta. He llevado gente a la Luna y he enviado robots exploradores a través de todo el Sistema Solar.

Rocket   El Cohete

Earth La Tierra

Earth

I am a planet of many faces. I have oceans, deserts, rainforests, and grassy plains. I am the home for all the life that people know. Are there other planets like me anywhere? Astronomers are trying to find them. No luck yet! I might seem big to the people who walk my face, but the other planets see me as only a pale blue dot. To the Universe, I am less than a teeny-tiny speck.

La Tie·rra

Soy un planeta con muchas caras. Tengo océanos, desiertos, selvas tropicales y verdes llanuras. Soy el hogar de toda la vida que la gente conoce. ¿Habrán planetas como yo en algún otro lugar? Los astrónomos están tratando de encontrarlos. ¡Pero no han tenido suerte aún! Puede que parezca grande para la gente que camina sobre mi cara, pero los otros planetas sólo me ven como un punto azul pálido. Y para el Universo, no soy más que un grano diminuto.

Moon

Every month, I slowly orbit the Earth, always watching with the same face. I cannot shine on my own. I look bright by reflecting the Sun's light. I am the farthest place humans have ever been, and yet I am still the closest outer space object. I am so close that I tug at Earth's oceans to help make the tides. I am bright enough during my full-moon phase to keep some of night's darkness at bay.

La Lu·na

Todos los meses orbito lentamente la Tierra, mirándola siempre con la misma cara. No puedo brillar por mí misma. Me veo brillante porque reflejo la luz del Sol. Soy el lugar más lejano al que han ido los humanos. Soy el cuerpo celeste más cercano a la Tierra. De hecho, estoy tan cerca que atraigo los océanos de la Tierra, ayudando a provocar las mareas. Soy lo suficientemente brillante en mi fase de luna llena como para reducir la oscuridad de la noche.

Moon   La Luna

Sun   El Sol

Sun

I bring light and warmth to all of your days. I am the star that is nearer to Earth than all other stars. My light will shine for billions of years before my fuel runs out and I turn off. That's not all! My incredibly strong gravity holds all of the planets in their orbits. You would have to add up the material of all the planets 700 times to equal my mass!

El Sol

Traigo luz y calor a todos tus días. Soy la estrella más cercana a la Tierra de todas las que hay. Brillaré constantemente por miles de millones de años antes de que mi combustible se acabe y me apague. ¡Pero eso no es todo! Mi fuerza de gravedad es tan fuerte que mantiene a todos los planetas en sus órbitas. ¡Tendrías que sumar el material de todos los planetas 700 veces para igualar mi masa!

Mer·cu·ry

I am the planet that is the closest to the Sun. One full day for me is 176 Earth-days long! My daytime temperatures are very, very hot. Then my nights become freezing cold! You might mistake me for the Moon because I am also small, gray, and covered with craters. However, I am much more massive because I am stuffed full of heavy metals like iron.

Mer·cu·rio

Soy el planeta más cercano al Sol. ¡Un día para mí dura 176 días Terrestres! Mi temperatura diurna es insoportablemente alta. Y mis noches son extremadamente frías. Podrás confundirme con la Luna, porque también soy pequeño, gris, y tengo cráteres. Sin embargo, peso mucho más porque estoy lleno de metales pesados como el hierro.

Mercury   Mercurio

Venus   Venus

Ve·nus

I am often called Earth's sister planet because I am the same size. Don't let that fool you. My thick, yellow, blanket-like atmosphere keeps me hot all over — hot enough to melt metal! If you stood on my surface, you would feel the same pressure that you would feel half a mile under the Earth's ocean! I also rotate backwards, making the Sun appear to rise in the west.

Ve·nus

A menudo me llaman el planeta hermano de la Tierra porque somos similares en tamaño, pero no dejes que eso te engañe. Mi atmósfera amarilla y gruesa como una manta me mantiene completamente abrigado, ¡tanto que los metales se derriten! Si pudieses pararte en mi superficie, el peso de mi atmósfera se sentiría como estar a 800 metros de profundidad en los océanos de la Tierra. Además giro al revés, por lo que el Sol sale por el oeste al amanecer.

Mars

I am cold, dry, and rusty red. I know I am a puny planet. But, I can boast that I have the tallest volcano and largest canyon system in the Solar System. I have many human spacecraft roaming across my face and flying through my skies to study me. I look like a bright ruby in Earth's night sky. People love to write exciting stories about me.

Mar·te

Soy frío, seco, y de color rojo óxido. Sé que puedo darte pena, pero puedo presumir que poseo el volcán más alto y el cañon más grande del Sistema Solar. Tengo muchas naves espaciales humanas paseando en mi cara y volando por mis cielos para estudiarme. Me veo como un reluciente rubí en los cielos de la Tierra. La gente disfruta escribiendo fascinantes historias sobre mí.

Mars   Marte

Jupiter   Júpiter

Ju·pi·ter

I am the largest planet in the Solar System and have more than 60 moons. Four of my moons are big enough to have volcanoes or ice-covered oceans of their own. I have no known solid surface. I am atmosphere almost all the way through. In my hot interior, the atmosphere gets so thick and dense that it is crushed into a liquid. Plus, I have large storms on my face! My Great Red Spot is a stormy patch bigger than Earth itself!

Jú·pi·ter

Soy el planeta más grande del Sistema Solar y tengo más de 60 lunas. Cuatro de mis lunas son tan grandes que tienen volcanes u océanos cubiertos de hielo. No se me conoce una superficie sólida. Soy casi pura atmósfera hacia mi interior. En mi interior caliente, la atmósfera se torna tan espesa y densa que se convierte en un líquido. Además, ¡tengo grandes tormentas en mi cara! ¡Mi Gran Mancha Roja es una zona tormentosa, más grande que la Tierra entera!

Sat·urn

My beautiful rings are a sight everyone should see, if I do say so myself. I am the second largest planet. On the whole, I am less dense than water! Titan, the largest of my many moons, is like a small planet itself. A human-made spacecraft dropped a space probe onto Titan's surface to see below its orange clouds. The probe found lakes and rivers, but they were not made of water. Titan is so cold that all the water is frozen. The rivers are made of liquid natural gas!

Sa·tur·no

Mis hermosos anillos ofrecen un espectáculo que todos deberían ver, ¡áy, que bello que soy! Soy el segundo planeta más grande. ¡Pero soy menos denso que el agua! Tengo muchas lunas. Titán, la más grande de todas, es como un planeta pequeño. Una nave espacial hecha por los humanos dejó caer una sonda espacial en la superficie de Titán para ver debajo de sus nubes anaranjadas. La sonda encontró lagos y ríos, pero no de agua. Titán es tan frío que toda el agua está congelada. ¡Los ríos son de gas natural líquido!

Saturn   Saturno

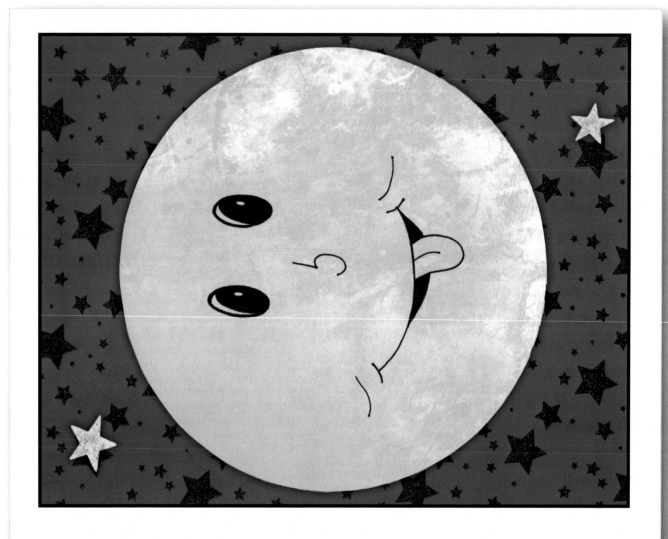

Uranus   Urano

U·ran·us

I am an icy, gas giant planet. I am much bigger than Earth but not as big as Jupiter and Saturn. I have thin, wispy rings and many moons. My face is a plain bluish-gray, but do not think me so dull. I have tipped over and now I spin on my side! Because of my tilt, my moons and rings appear to go around me like a Ferris wheel instead of like a merry-go-round.

U·ra·no

Soy un planeta gigante, helado y gaseoso. Soy mucho más grande que la Tierra, pero no tan grande como Júpiter o Saturno. Tengo algunos anillos delgados y tenues, y muchas lunas. Mi cara es lisa y gris azulada, pero no pienses que soy aburrido. ¡Me he ladeado y giro sobre mi costado! Producto de mi inclinación, mis lunas y anillos parecieran girar alrededor mío como en una rueda de la fortuna y no como en un carrusel.

Nep·tune

My blue sky and white clouds might remind you of Earth. However, I am a giant planet made of ices and gas. Before I was first seen, scientists noticed my tug on Uranus. That tug led them to search for me. Sometimes, giant storms in my atmosphere make big, dark spots appear and disappear all over my face.

Nep·tu·no

Mi cielo azul y nubes blancas te pueden recordar a la Tierra. Sin embargo, soy un planeta gigante hecho de hielos y gas. Antes de que me vieran por primera vez, los científicos notaron que movía a Urano, y esto los alentó a que me buscaran. A veces, tormentas gigantes en mi atmósfera forman manchas grandes y oscuras que aparecen y desaparecen en mi cara.

Neptune   Neptuno

Dwarf Planets Planetas Enanos

Dwarf Plan·ets (Pluto speaking)

I was once called a planet. Now, I am the most famous member of the dwarf planets family. Some of my siblings, like Eris, Makemake, and Haumea, are small and icy like me. We orbit the Sun in a jumbled-up ring. We are so small and far away that even the best pictures of our faces taken from Earth are blurry. Our rocky sibling Ceres lives in the asteroid belt between Mars and Jupiter. Ceres has been called a planet, then an asteroid, and now a dwarf planet. There may be many more of us just waiting to be discovered!

Los Pla·ne·tas E·na·nos (Plutón hablando)

Alguna vez me llamaron planeta. Ahora soy el miembro más famoso de la familia de planetas enanos. Algunos de mis hermanos, como Eris, Makemake, y Haumea, son pequeños y cubiertos de hielo como yo. Nosotros orbitamos alrededor del Sol formando un revoltoso anillo. Somos tan pequeños y lejanos que incluso las mejores imágenes de nuestras caras tomadas desde la Tierra son borrosas. Nuestro hermano rocoso Ceres vive en el cinturón de asteroides entre Marte y Júpiter. Ceres ha sido llamado planeta, luego asteroide, y ahora planeta enano. ¡Puede que haya muchos más de nosotros esperando ser descubiertos!

Com·et

I am made of ice and dust. I come from the farthest reaches of the Solar System. Sometimes, I journey close in to where the planets are. The Sun vaporizes my ice, giving me my telltale tail. As I zip through, I leave bits of myself all along my path from my second, dusty tail. If you are lucky, the Earth will sweep through my left-behind crumbs. Then you will see a beautiful meteor shower!

El Co·me·ta

Estoy hecho de hielo y polvo. Vengo desde los confines del Sistema Solar. De vez en cuando, viajo a las cercanías donde viven los planetas. El Sol evapora mi hielo, y esto produce la cola que me delata. A medida que viajo, dejo en mi camino restos de mi cola, que es de polvo. Si tienes suerte, la Tierra barrerá estas migajas que he dejado atrás. ¡Entonces verás una hermosa lluvia de estrellas!

Comet   El Cometa

Star   La Estrella

Star

I look like a tiny, sparkling jewel in the night sky. I am really a colossal ball of hot gas, just like the Sun. I come in many sizes, but they are all very large. I only look small because I am so very far away! If my color is ruby-red then I am cooler than the Sun. A sapphire-blue hue means I am hotter. Many of us stars have one or more partner stars, and we dance in orbit about one other. Some stars have planets big and small. Who knows if someone or something might call those planets home?

La Es·tre·lla

Parezco una pequeña y centelleante joya en el cielo nocturno. En realidad soy una bola colosal de gas caliente, como el Sol. Puedo tener tamaños muy grandes. ¡Únicamente me veo pequeña porque estoy demasiado lejos! Si mi color es rojo rubí, entonces soy más fría que el Sol. Un tono azul zafiro indica que soy más caliente que él. Muchas de nosotras tenemos una o más estrellas compañeras, y bailamos en órbita una alrededor de la otra. Algunas estrellas tienen planetas grandes y pequeños. ¿Quién sabe si alguien o algo pueda llamar hogar a esos planetas?

Ga·la·xy

Home to billions and billions of stars, that's me! I am sometimes shaped like a spiral. My arms are where new stars are being born. Deep in my centre lurks an enormous black hole. The galaxy you live in is called the Milky Way because from Earth, it looks like milk spilled across the night sky. In Greek, gala means milk and that is where my name, Galaxy, comes from!

La Ga·la·xia

El hogar de tropecientos de estrellas, ¡soy yo! A veces, tengo la forma de un espiral. En mis brazos están naciendo nuevas estrellas. Profundo en mi centro merodea un enorme agujero negro. La galaxia donde vives se llama la Vía Láctea, porque parece ser leche que ha sido derramada en el cielo nocturno. En Griego, "gala" significa "leche," y de aquí viene mi nombre, Galaxia.

Galaxy   La Galaxia

Universe   El Universo

U·ni·verse

I am all that you see and many things you do not see. I am full of powerful things like exploding stars, black holes, and colliding galaxies. I also have vast expanses of nearly empty space. I am so big that there are countless stars in countless galaxies in every direction that humans look. Even still, I am growing larger all the time. What mysteries do I hide for future people to explore? It is the scientist's job to find out!

El U·ni·ver·so

Soy todo lo que ves y muchas cosas que no ves. Estoy repleto de objetos grandes y poderosos como estrellas estallando, agujeros negros, y galaxias colisionando. También tengo grandes extensiones de espacio casi vacío. Soy tan grande que hay incontables estrellas en incontables galaxias en cada dirección en que miran los humanos. Incluso aún, sigo creciendo todo el tiempo. ¿Qué maravillas y misterios les guardo a las futuras generaciones? ¡Encontrarlos es el trabajo de los científicos!

Information for Parents and Educators

Breaking away from Earth's gravity is one of space exploration's most difficult hurdles. The enormous Saturn V **rockets** that carried astronauts to the Moon burned through over 5 million pounds of fuel during launch. However, once free of Earth's gravitational pull, spacecraft need much less fuel to move around the Solar System.

Earth is the home of all life that we know, yet it is just a small rocky planet in orbit around an average star in an average-sized galaxy. It has sustained many impacts from comets and asteroids in our cosmic neighborhood over its 4.5 billion year history, but most craters have been erased by geologic activity.

The **Moon** is our nearest companion and the only other world that humans have visited. The same force that causes ocean tides has also "locked" the Moon's rotation to match its orbital revolution. Thus, the same side of the Moon always faces Earth. The Moon was most likely formed by an ancient impact between the newborn Earth and a Mars-sized planet.

The **Sun** is our nearest star and the center of our Solar System. It has 1,000 times more mass than Jupiter, and a million Earths could fit inside it. The nuclear fusion in its core provides the heat and light necessary for life on Earth. It is the most well-studied star, but scientists are still trying to understand the details of the Sun's 11-year cycle of sunspot and flare activity.

The **inner planets** (**Mercury, Venus, Earth,** and **Mars**) are called "terrestrial" because rocky material dominates their compositions. Although they make up a tiny fraction of the Solar System's mass, they have diverse characteristics. These worlds range from the frozen deserts of Mars to the sulfuric sauna of Venus, and from the lush biosphere of Earth to the barren craters of Mercury.

Jupiter and **Saturn**, the two most massive planets, make up 95% of the planetary mass in the Solar System. The next largest, **Uranus** and **Neptune**, have green and blue colored atmospheres from ammonia and methane ice crystals. But, hydrogen and helium dominate all four gas giant planets. Pluto is one of the largest of the icy bodies in the Kuiper Belt, which led to its reclassification as a **dwarf planet**.

Comets originate in the distant reaches of the Solar System, up to 50,000 times farther than the Earth is from the Sun. As comets enter the inner Solar System, the Sun turns their ices directly into gases (sublimation), giving comets their famous tails. After many such passes, a comet can disintegrate completely! Some comets can escape the Solar System and be lost forever after just one pass around the Sun.

A **star** is a collection of gas that becomes massive enough for nuclear fusion to begin powering its core. Massive stars end in a catastrophic explosion called a "supernova." Stars are responsible for creating all of the elements in the Universe that are heavier than hydrogen, helium, and lithium. Hence, we are all made of "star stuff!"

Galaxies are collections of up to billions of stars, and they can come in many shapes, such as spiral (like our Milky Way), elliptical (fuzzy-ball shaped), and irregular (raggedy). They can be large like our galaxy, or vastly smaller like dwarf galaxies. Larger galaxies may form by gobbling up dwarf galaxies, and our own Milky Way appears to be in the process of doing just that!

The **Universe** has expanded incredibly since it began 13.7 billion years ago. It contains at least hundreds of millions of galaxies, each with up to billions of stars. However, the matter in stars, planets, and people is just a tiny component of our Universe. We still do not understand what makes up more than 95% of the Universe, or even how large it is!

Información para Padres y Educadores

Escapar de la gravedad de la Tierra es una de las mayores dificultades de la exploración espacial. El Saturno V es un enorme **cohete** que llevó astronautas a la Luna, el cual quemó más de 2.500 toneladas de combustible durante su despegue. Sin embargo, una vez fuera del alcance de la gravedad de la Tierra, las naves espaciales necesitan muy poco combustible para desplazarse por el Sistema Solar.

La **Tierra** es el hogar de todo tipo de vida que conocemos, aún así es solo un pequeño planeta rocoso que orbita alrededor de una estrella promedio en una galaxia de tamaño promedio. Ha sobrevivido a muchos impactos de cometas y asteroides en nuestro vecindario cósmico en sus más de 4,5 miles de millones de años de historia, pero la mayoría de sus cráteres han desaparecido por su actividad geológica.

La **Luna** es nuestra compañera más cercana y el único mundo fuera de la Tierra que los humanos han visitado. La misma fuerza que provoca las mareas en los océanos también ha causado que el periodo de rotación de la Luna sea igual al de su traslación. Por esta razón, siempre vemos el mismo lado de la Luna desde la Tierra. Lo más probable es que la Luna se haya formado por un antiguo impacto entre una Tierra recién nacida y un planeta del tamaño de Marte.

El **Sol** es nuestra estrella más cercana y a su vez el centro de nuestro Sistema Solar. Tiene 1.000 veces más masa que Júpiter, y un millón de Tierras podrían caber dentro de él. La fusión nuclear en su centro provee el calor y la luz necesaria para la vida en la Tierra. Es la estrella más estudiada, pero los científicos aún están tratando de entender los detalles del ciclo de 11 años de duración en el que aparecen las manchas y llamaradas solares.

Los **planetas interiores** (**Mercurio, Venus, Tierra,** y **Marte**) son llamados "terrestres" porque en su composición predominan los materiales rocosos. Aunque ellos contribuyen con una pequeña fracción a la masa del Sistema Solar, poseen diversas características. Estos mundos van desde los desiertos congelados de Marte a los saunas sulfúricos de Venus, y desde la rica biosfera de la Tierra a los cráteres estériles de Mercurio.

Júpiter y **Saturno**, los dos planetas más masivos, contienen el 95% de la masa planetaria del Sistema Solar. Les siguen en tamaño **Urano** y **Neptuno**, cuyas atmósferas poseen un color verde y azul debido a cristales de hielo de amoniaco y metano. Pero el hidrógeno y el helio predominan en estos cuatro planetas gigantes gaseosos. Plutón es uno de los mayores cuerpos de hielo en el Cinturón de Kuiper, lo que condujo a su reclasificación como **planeta enano**.

Los **cometas** se originan en los confines del Sistema Solar, a distancias de hasta 50.000 veces la distancia entre la Tierra y el Sol. Cuando un cometa entra en la parte interior del Sistema Solar, el Sol transforma directamente los hielos cometarios en gases (sublimación), formándose la famosa cola del cometa. Tras pasar reiteradas veces alrededor del sol, ¡un cometa puede desintegrarse completamente! Algunos cometas pueden escapar del Sistema Solar y perderse para siempre luego de su primer paso alrededor del Sol.

Una **estrella** es un cuerpo compuesto de gases que tiene una masa suficiente como para iniciar una fusión nuclear que produce energía en su núcleo. Las estrellas realmente masivas terminan en una explosión catastrófica llamada "supernova." Las estrellas son las responsables de crear todos los elementos en el Universo que son más pesados que el hidrógeno, helio, y litio. ¡Por lo tanto, nosotros somos "polvo de estrellas!"

Las **galaxias** son conjuntos de hasta miles de millones de estrellas, que pueden tener variadas formas, ya sea, espiral (como nuestra Vía Láctea), elíptica (con forma de una esfera difusa), o irregular. Pueden ser grandes como nuestra galaxia, o mucho más pequeñas como las galaxias enanas. También pueden formarse galaxias más grandes que "engullen" galaxias pequeñas, ¡y nuestra Vía Láctea pareciera estar en este proceso actualmente!

El **Universo** se ha expandido de manera increíble desde que comenzó hace 13.700 miles de millones de años. Contiene, al menos, cientos de millones de galaxias, donde algunas de ellas a su vez poseen hasta miles de millones de estrellas. Sin embargo, la materia que se encuentra en estrellas, planetas, y personas es solo un pequeño componente de nuestro Universo. Aún no comprendemos el 95% restante de lo que conforma el Universo, ¡o incluso cuán grande es!